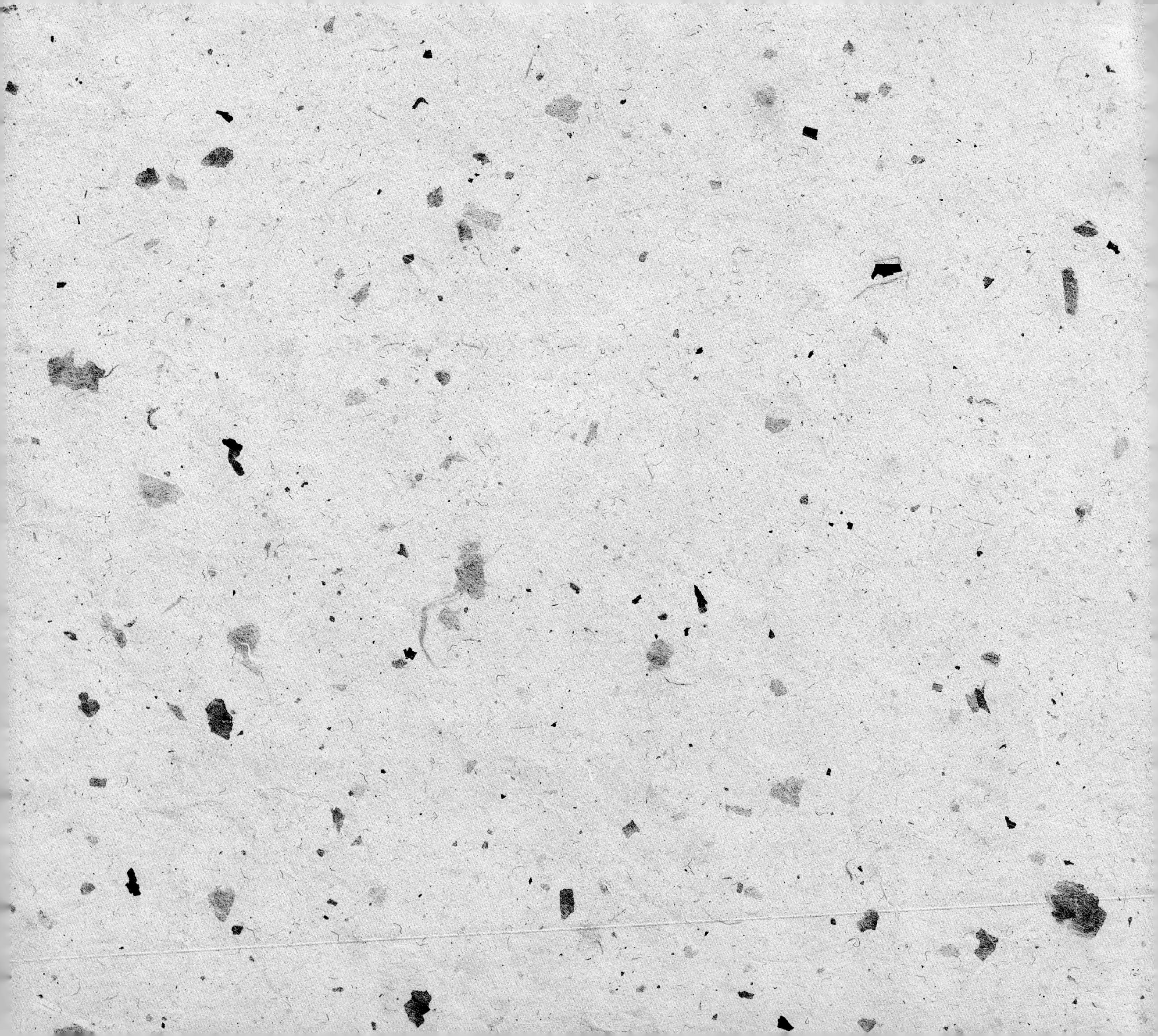

호랑이 형님을 기억하며…

dedicated to the dutiful tiger brother

쓰고 그린 이 이나미는 홍익대학교 미술대학에서 시각디자인을, 미국의 아트센터 Art Center College of Design에서 일러스트레이션을 공부하였습니다. 또 다른 그림책으로 미국의 퍼트남 Putnam사에서 출판한 '젊어지는 샘물 The Magic Spring' 이 있습니다. '나무꾼과 호랑이 형님' 은 영어와 독일어로 번역되어 세계의 어린이들이 함께 읽고 있습니다.

Nami Rhe, who retold and illustrated this book, studied graphic design at Hong-Ik University in Seoul and graduated from Art Center College of Design in USA with a major in illustration. Her second book, *Magic Spring* was published by Putnam in New York. *Woodcutter and Tiger Brother* has been translated into German as well as into English so that children of the world could share the joy of reading it together.

나무꾼과 호랑이 형님

글/그림/디자인 · 이나미
발행인 · 함기만
발행처 · 한림출판사
서울시 종로구 관철동 13-13 코아빌딩 6층
Tel:02-735-7551~4 Fax:02-730-5149
http://www.hollym.co.kr
hello@hollym.co.kr
hollym@chollian.net

등록번호 · 제1-443호
등록일자 · 1963.1.18
발행일 · 1998년 9월 30일

1판1쇄 · 영한대역판, 디자인하우스 발행, 서울, 1988
2판1쇄 · 영한독대역판(독일어번역/김영자),
hpt-Verlagsgesellschaft, 빈, 오스트리아, 1997
3판1쇄 · 한글판, 한림출판사, 서울, 1998
4판1쇄 · 한영대역판, 한림출판사, 서울, 1998

WOODCUTTER AND TIGER BROTHER
Namukun-kwa Horang-i Hyongnim

- First edition with the text in Korean and English published by Design House Inc., Seoul, Korea in April, 1988
- Second Edition with the text in German published by hpt-Verlagsgesellschaft m.b.H. & Co. KG, Wien in June, 1997
- Third edition with the text in Korean only published in September, 1998 by Hollym Corporation; Publishers
  6th Fl., Core Bldg., 13-13 Kwanchol-dong, Chongno-gu, Seoul 110-111, Korea
  Tel/02.735.7551~4 Fax/02.730.5149
  http://www.hollym.co.kr
  hello@hollym.co.kr
- Fourth edition with the text in Korean and English published in September, 1998 by Hollym International Corp.
  18 Donald Place, Elizabeth, New Jersey 07208 U.S.A.
  Tel/908.353.1655 Fax/908.353.0255
  http://www.hollym.com
  Published simultaneously in Korea by Hollym Corporation; Publishers

ISBN 1-56591-093-1
Library of Congress Catalog Card Number: 98-87686

Printed in Korea

나무꾼과 호랑이 형님

WOODCUTTER AND TIGER BROTHER

written and
illustrated by
Nami Rhee

HOLLYM

Elizabeth, NJ · Seoul

옛날 어느 산골에 나무꾼과 어머니가
살고 있었습니다.

Once there lived a woodcutter and
his old mother in the mountains.

어느 날 나무꾼이
산에 나무를 하러 갔다가
무서운 호랑이를 만났습니다.
나무꾼은 겁에 질려
벌벌 떨었습니다.

One day, the woodcutter
met a terrible tiger
on the mountain.
He was so frightened
because he was about
to be eaten by the
hungry tiger.

'죽기 전에 한번 꾀를 내보자.' 나무꾼은 갑자기 땅바닥에 넙죽 엎드려 호랑이에게 절을 하고는 울면서 말했습니다.
"형님! 그 동안 어디에 계셨습니까?"

'I will try a trick before I accept my fate,' thought the woodcutter. Suddenly, he sat down on his knees, bowed to the tiger, and cried, "Brother, brother, where in the world have you been?"

"아니, 대체 무슨 소리냐? 내가 어떻게 네 형님이 된단 말이냐?"
호랑이는 어리둥절하여 이렇게 물었습니다.

The tiger was very embarrassed at his words.
"What are you talking about? Why do you call me a brother?"

나무꾼은 다시 큰소리로 울면서 말했습니다.
"형님, 잊으셨습니까? 형님은 원래 사람이셨단 말입니다.
제 말을 못 믿으시겠다면 집에 가서 어머니께 여쭈어 보시지요."

The woodcutter cried again, "Brother, don't you realize?
You once were a human being as I am. Don't you believe me?
Well, then, let's go home and ask mother!"

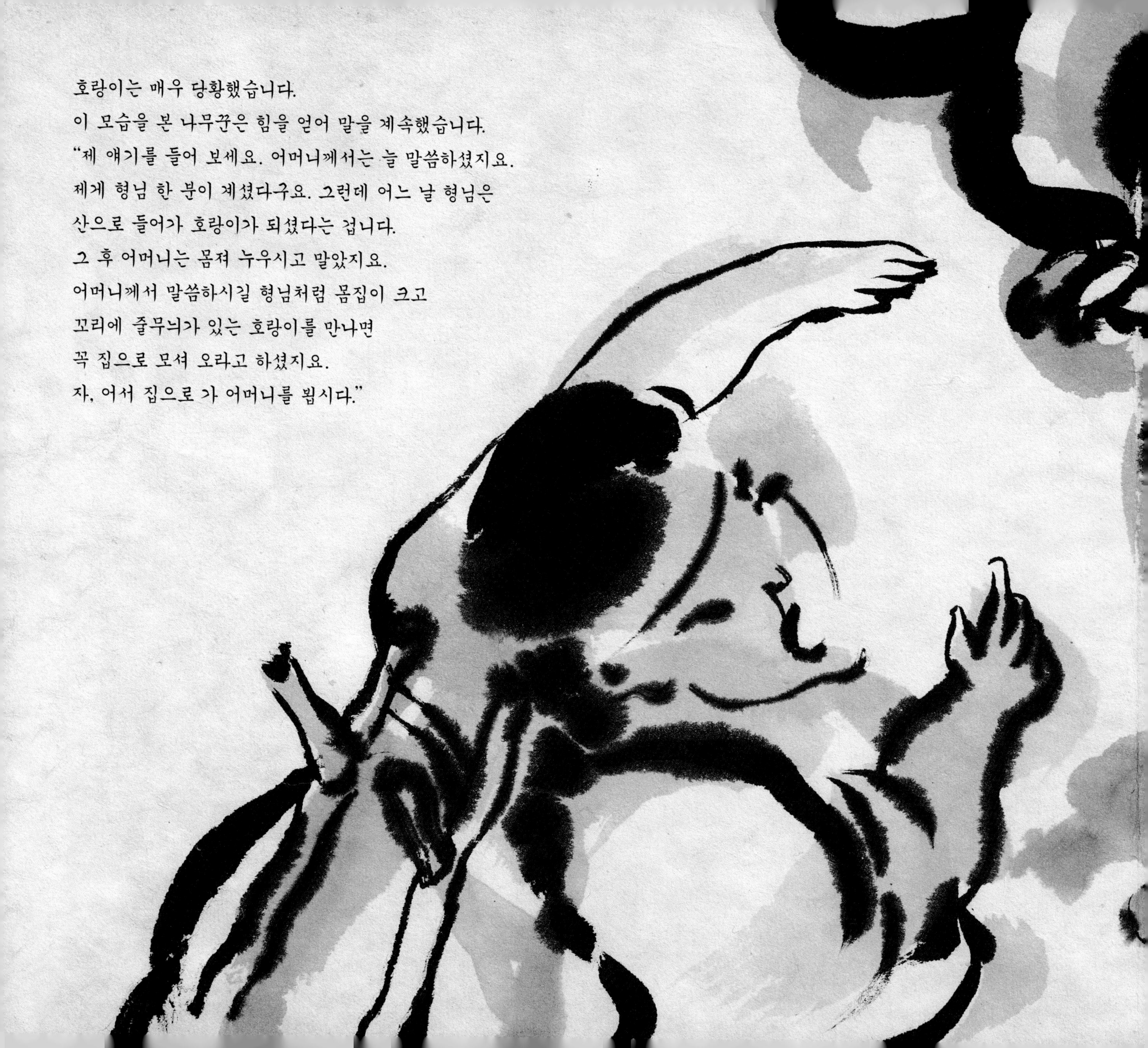

호랑이는 매우 당황했습니다.
이 모습을 본 나무꾼은 힘을 얻어 말을 계속했습니다.
"제 얘기를 들어 보세요. 어머니께서는 늘 말씀하셨지요.
제게 형님 한 분이 계셨다구요. 그런데 어느 날 형님은
산으로 들어가 호랑이가 되셨다는 겁니다.
그 후 어머니는 몸져 누우시고 말았지요.
어머니께서 말씀하시길 형님처럼 몸집이 크고
꼬리에 줄무늬가 있는 호랑이를 만나면
꼭 집으로 모셔 오라고 하셨지요.
자, 어서 집으로 가 어머니를 뵙시다."

The tiger was very confused. The woodcutter became encouraged, saying, "Listen to me, brother. Mother told me that I used to have a big brother. One day, he was lost in the mountains where he became a tiger. Mother was so deeply hurt she became ill. She always told me that I had to find my tiger brother who was very tall and had a tail with stripes, just like yours. Her only wish has been to see you again. Oh! brother, let's go home and see mother."

나무꾼의 이야기를 들은 호랑이는 잃어버린 기억이
되살아나는 듯 눈물을 흘리며 말했습니다.
"아우야, 용서해다오. 하지만 이런 흉칙한 모습으로
어떻게 어머니를 뵐 수 있겠느냐. 이런 나를 보시면
어머니는 더욱 마음 아파하실 것 아니냐?
내 대신 어머니를 잘 모셔다오."

Listening to his long story, the tiger almost
felt that he was getting all the memories
back and could not hold his tears any more.
"My little brother, please, forgive me. I feel
so shamed. But I cannot see mother like this,
as a horrible looking tiger. I will only terrify
poor mother. So, please, take a good
care of mother on behalf of me until
the time comes."

호랑이는 이 말을 남기고는 몹시 슬퍼하며 숲 속으로 사라졌습니다.
그리고 나무꾼도 무사히 집으로 돌아갔습니다.

The tiger disappeared into the woods with his heart broken.
And the woodcutter came back home safely.

다음 날 아침, 이상한 일이 벌어졌습니다.
누군가 멧돼지 한 마리를 잡아 뒷뜰에 갖다 놓은 것입니다.
그 후 나무꾼의 집에는 매달 초하루와 보름날이면 어김없이
꿩, 노루, 사슴, 등 각종 산짐승들이 놓여 있었습니다.

The next morning, a very strange thing happened in the woodcutter's backyard. A wild boar was brought into his backyard. And from then on, all different animals such as pheasants, roes, and deers were brought every first and fifteenth day of the month.

나무꾼은 그것이 어머니께 드리라고 가져다 놓은
호랑이의 선물이라는 것을 알았습니다.
나무꾼은 호랑이의 효심에 깊이 감동했습니다.
그래서 나무꾼도 어머니께 더욱 효도를 하게 되었습니다.

The woodcutter realized that those were the gifts for his mother from the tiger. "He really believed what I said. And what a dutiful tiger he is!" He was very impressed by the tiger's dutifulness as a son to his mother. The woodcutter served his mother even more faithfully.

삼년 후 나무꾼의 어머니가 돌아가셨습니다.
그 후로는 뒷뜰에 산짐승을 가져다 놓는 일도 없어졌습니다.
아마 호랑이도 어머니의 죽음을 알고 있는 것이라고
나무꾼은 생각했습니다.

Three years later, the woodcutter's mother died. After that, the gifts were not brought in any more. The tiger had never skipped a day he was expected to bring gifts for mother. So, the woodcutter assumed that the tiger knew about his mother's death.

어느 날, 나무꾼은 어머니의 산소에 갔다가, 꼬리에 검은 리본을 단 새끼 호랑이 다섯마리가 놀고 있는 것을 보았습니다.

One day, the woodcutter went to the mountain and met five little tigers playing around his mother's tomb with black ribbons on their tails.

새끼 호랑이들은 나무꾼에게 달려와 말했습니다.
"삼촌! 삼촌을 기다리고 있었어요. 할머니가 돌아가시고
며칠 후 우리 아버지도 돌아가셨답니다.
옛날에는 우리 아버지도 사람이셨대요."

They ran toward at him and said, "Uncle; we have waited for you. Our father died a few days after grandmother died. You know, he used to be a human being as you are!"

나무꾼은 그제야 모든 것을 알 수 있었습니다.
나무꾼은 호랑이의 효심에 다시 한번 고개를 숙였습니다.

The woodcutter now understood what had happened. And he once more became solemn at the tiger's great dutifulness to mother.